Yuki Nakaji

Venus in Love 1

VENUS IN LOVE

I. KAPITEL

Einleitung

Es ist Frühling in Hyogo und für die achtzehnjährige **Suzuna** fällt der Startschuß in ein neues Leben. Als frischgebackene Studentin wird sie nicht nur zum ersten Mal in eine eigene Wohnung ziehen, sondern auch viele neue Menschen kennenlernen. Darunter, so hofft die eher schüchterne Suzuna, wird vielleicht auch eine große Liebe sein. Ihre beiden neuen Wohnungsnachbarn sind zwar eine herbe Enttäuschung, doch dank ihrer Bekannten **Hinako** wird Suzuna schnell in den Universitätsalltag mit seinen zahlreichen Klubaktivitäten integriert. Und als sie eines Tages ihren Kommilitonen **Fukami** beim Tennisspielen beobachtet, ist es um Suzuna geschehen. Doch während sie sich Fukami vorsichtig annähert, muß sie feststellen, daß sie in ihrem Werben um ihn nicht die einzige ist...

MÄRZ, FRÜH-LING...

... IN HYOGO.

HAH.

HAH.

AH!

WIESO MUSSTEN SIE DIE KOTO-UNIVERSITÄT AUSGERECHNET GANZ OBEN AUF EINEM HÜGEL BAUEN?

WAHR-SCHEINLICH, WEIL ES DA BILLIGER WAR.

MENSCH, DIESER HÜGEL BRINGT MICH NOCH UM!

FRESH

CLAP CLAP

HAH?

MEIN NAME IST SUZUNA ASHIHARA, ICH BIN 18 JAHRE ALT.

ECHT STEIL...

DIESE MAUER IN KAKIGRÜN IST ABER WIRKLICH CHIC! ♡

OH GOTT...

ALSO FÜR MICH IST DAS KACKGRÜN! WIRD EINEM JA ÜBEL...

WIR SIND DA!!

DA IST ES!! MEIN NEUES ZUHAUSE, SATORU!!

ÄH... ICH MEINE NATÜRLICH WUNDERSCHÖN!!

SWIFF

CLAP CLAP

HA HA...

MIT DEM AUSSEHEN EINES KLEINKINDS...

SCHLIESSLICH BIN ICH AB APRIL EINE RICHTIGE STUDENTIN!

KLAR DOCH!!

TAMM

ICH BIN SCHON GANZ HEISS DRAUF, ENDLICH FLÜGGE ZU WERDEN!

SCHAFFST DU DAS DENN AUCH?

ICH MACH MIR SORGEN.

SAG MAL, SUZUNA... DU WOHNST JA JETZT GANZ ALLEINE...

UND DAS IST SATORU ASHIHARA (16), MEIN BRUDER.

207
EICHI UOZUMI

WIE, KENNST DU NICHT? ICH LEIH DIR GERNE MAL DAS ANIME! ♥

UND DIESE SPEZIAL-TELE-FONKARTE IST EIN ABSOLUT HEISSES SAMMLEROB-JEKT!

SHAKE SHAKE ♥

B T A M.

DA KRIEGT MAN JA ANGST.

D-DANKE, KEIN BE-DARF!!

OB DER ANDERE NACHBAR AUCH SO EIN TYP IST?

DING DONG

NEIN!! ICH KAUFE KEINE ZEI-TUNGEN!!

YIIK

OB NIEMAND ZU HAUSE IST?

DING DONG

KEINE REAKTI-ON.

KOTO-UNIVERSITÄT. TAG DER IMMATRIKULATIONSFEIER.

LOS!!

MACHT BEIM FAN-CLUB MIT!!

HE, DU HAST EINE KLASSE FIGUR! LUST, BEIM BASKET-BALL MITZUMA-CHEN?! ♡

MACHT BEIM RA-KUGO-CLUB MIT!

HALLO, MÄDEL! ♡ LUST AUF'S SNOWBOARDEN?!

*SNOWBOARD

WAHNSINN, WAS HIER LOS IST!!

D-DAS IST JA...

DAS WAR JA EIN RICHTIGER HAREM!

ÄH, SUZUNA, DAS IST BLOSS EIN TRICK! JEDER KLUB SCHICKT SEINEN AM BESTEN AUSSEHENDEN JUNGEN, UM DIE FRISCH IMMATRIKULIERTEN MÄDCHEN ZU ERGATTERN!

WIRKLICH?

IN DEN KLUBS GIBT'S WOHL VIELE TOLLE JUNGS!

?

POFF

TSS!

JETZT, WO ICH ZUR UNI GEHE...

LUST HÄTTE ICH SCHON, IRGENDWO MITZUMACHEN.

HI HI ...

... WILL ICH AUCH JEDE MENGE FREUNDE HABEN!

GEHEN WIR ETWAS ESSEN?

DAS WAR'S!

DIE EIN-FÜHRUNGS-VERANSTALTUNG IST BEENDET.

PHILOSOPHISCHE FAKULTÄT

きゃあ

KYAAAH!

ICH BIN DA-BEI!!

UND KRÄU-TERTEE!!

IN DER CAFETERIA DES STU-DENTEN-WERKS...

...SOLL ES LECKERE PFANNKU-CHEN GE-BEN!

MENSCH, HAB ICH HUNGER!

ICH BIN ES, YUKI NAKAJI!

ES IST GERADE AUGUST!

DA BIN ICH WIEDER! NEUN MONATE IST ES SCHON WIEDER HER, DASS DER LETZTE TASCHENBUCHBAND ERSCHIENEN IST. DIES WIRD MEIN LETZTER BAND FÜR 1999 SEIN. ICH BIN FROH, DASS IM JULI NICHTS PASSIERT IST, HI HI. IN MEINER NEUEN GESCHICHTE GEHT ES UM JEDE MENGE LIEBE UND VERLIEBTSEIN! ICH HABE VOR, "PUDELCHEN" (LACH) ZU EINEM SPÄTEREN ZEITPUNKT NOCH EINEN MERKWÜRDIGEN RIVALEN AN DIE SEITE ZU STELLEN.

INHALTSVERZEICHNIS

SO RUHIG UND GELASSEN...

UND ER HAT EINE SCHÖNE STIMME!

KIAAAAH!! ♡ ER IST JA SO COOL!!

HÄTTE ICH MICH IHM DOCH NUR ALS HINAKOS FREUNDIN VORGESTELLT!

ACH!

2. KAPITEL

IN DER 10. KLASSE HAT MICH MAL EIN JUNGE EINFACH SO ABBLITZEN LASSEN.

DAS WAR EICHI.

HMM. PUDELCHEN IST NOCH EIN KIND! ♡

EICHI UOZUMI IN DER VORSTELLUNG VON SUZUNA

KÖNNTEST DU MIR DAS GE- NALIER...

...

ÄHEM

?

ガバし

PRESS

ES WAR DER ERSTE TAG DER 10. KLASSE, UND ES WAR LIEBE AUF DEN ER- STEN BLICK.

SMILE
ニコ

BDUM
キ゛ニ゛

BDUM
キ゛ニ゛

キ゛ニ゛

ド゛ BDUM

HA?
LÄCHELT
DER MICH
AN?

IST DER
SÜSS!

... ALL
MEINEN
MUT ZU-
SAMMEN
UND BEICHTE-
TE ES
IHM.

ALSO...

ICH...

UND IM
ZWEITEN
HALB-
JAHR
NAHM
ICH...

HALT
DICH
RAN,
HINAKO!

ES WAR
EICHI UO-
ZUMI AUS
MEINER
PARALLEL-
KLASSE.

....

い
ズ゛
い

HE,
FUKAMIII
!!

AUTSCH!

ど゛ずん₉₉

FÜR MICH BIST DU AB HEUTE "MR. NIEDERTRACHT"!!

WIE BITTE ?!

STÄNDIG GAB ES STREIT, ABER IRGENDWIE KAMEN WIR UNS DARÜBER NÄHER.

IN DER 11. KAMEN WIR DANN IN DIESELBE KLASSE.

UND WIR WAREN IM SCHULVERSCHÖNERUNGSKOMITEE.

CURIOUS
わくわく

UND... WIE IST ES JETZT...

...

ポチ
カリ×4

...HINAKO?

ER HAT KEIN INTERESSE AN FRAUEN! DER KERL IST AUCH WIE EIN KLEINKIND.

BLUTLEER!

カ！
カ！

HA HA

ABER ES IST KEINE "LIEBE".

ICH MAG IHN.

HAH?!

SCHON DURCH-SCHAUT... ♡

...PUDEL-CHEN!?

HUH!

ペし FLUP

DU WILLST IN DIESELBE GRUPPE EINTRE-TEN, HAB ICH RECHT? GANZ SCHÖN DURCH-TRIEBEN!

D-D-DAVON IST DOCH GAR K-K-KEINE REDE.

MAN SIEHT SICH! ♡

TREMBLE

ばたん

JA?

ICH HAB MICH FÜR EINE TENNISGRUPPE ENTSCHIEDEN!

BYE-BYE!

BIS SPÄTER!

ICH WERDE BEIM SMASH CLUB MITMACHEN!

IST DAS DEIN ERNST?!

TRETEN WIR ZUSAMMEN EIN?

DAS KÖNNTE SPANNEND WERDEN!

DAS IST DOCH DER CLUB VON EICHI UND FUKAMI!

AAAH

SMASH CLUB?

HÖR MAL GUT ZU, PUDEL-CHEN.

RÄUSPER.

WIESO PRODUZIERST DU DICH SO?

JA? UND WENN SCHON?!

EICHI?!

WIR HABEN IN DEN LETZTEN VIER JAHREN DAS TENNIS-TURNIER DER PRIVAT-UNIVER-SITÄTEN GEWONNEN!

... WIR SIND STARK!

IM "SMASH CLUB" SIND VOR ALLEM EHEMALIGE SPIELER...

... AUS DEN TENNIS-CLUBS DER OBERSCHU-LEN! DAS HEISST...

LASS DEN IDIOTEN!

KOMM, LASS UNS GEHEN...!

HA HA HA HA HA

DU WIRST DICH NOCH WUNDERN!

AH.

SWIFF

NUR AM COMPUTER.

HAST DU ER-FAHRUNG IM TEN-NIS?

SÜÜSS!!

YEAH!!

SUZU-CHAN!!

YIIK!!

GLUG GLUG

OH, DAS IST BITTER!

FREUT MICH, EUCH KENNENZULERNEN!

ICH BIN SUZUNA ASHIHARA, ERSTES SEMESTER, LITERARISCHE FAKULTÄT!

EX UND HOPP!! EX UND HOPP!!

BEFEHL VOM SEMPAI*!!

KOHAI**

LOS, TRINK SCHON!! TRINK!!

TREFF DER EHEMALIGEN DES TENNISCLUBS

EINE SCHÖNHEIT!

OOOOH!

おおっ

HI, HINAKO KAJI, ERSTES SEMESTER, LITERARISCHE FAKULTÄT!

EX UND HOPP!! EX UND HOPP!!

LECKER!

* EIN NACH SEMESTERZAHL ÄLTERER ** EIN NACH SEMESTERZAHL JÜNGERER

WHO IS WHO (1)

SUZUNA ASHIHARA
BLUTGRUPPE O,
GEBOREN AM 10.
SEPTEMBER

KÖRPERGRÖSSE:
158 CM
GEWICHT: 45 KG
ERSTSEMESTER,
STUDIERT JAPANISCHE
LITERATUR AN DER
KOTO-UNIVERSITÄT,
OBERSCHULABSCHLUSS
VON EINER MÄDCHEN-
OBERSCHULE IN OKAYAMA,
DIE UNIVERSITÄT IST
EINE VÖLLIG NEUE
WELT FÜR SIE,
HAT ELTERN UND EINEN
JÜNGEREN BRUDER,
IST EHRLICH GEGENÜBER
SICH UND ANDEREN

LEICHTGLÄUBI-
GER KOPF

ZARTE
WEISSE
HAUT

NICHT SEHR
SPORTLICH

FÜSSE
ERMÜ-
DEN
LEICHT

WIRKT
ETWAS
TRÄGE, IST
ABER IN WAHR-
HEIT
AUFGEWECKT

IST
NUR IN SACHEN GUT,
DIE SIE MAG

KIA
HA HA

HA HA!!

FUKAMI,
DER
MÄNNER-
SCHRECK!!

HA HA
HA HA!!

WAS
SONST!!

HE,
GEHST DU
KOTZEN?

SEHT
IHN
/EUCH
AN!!

SWAY

ICH
MUSS
MAL...

BIS MORGEN DANN! ♡

AU BACKE ...

SCH-SCH 8-OEH DANN SCHOMAL!

DER ALTE SÄUFER!

EICHI IST DIREKT AB NACH HAU-SE!

HA HA HA!

ICH BRINGE EUCH NOCH BIS NACH HAUSE.

HINAKO ÜBERNACHTET DOCH BEI DIR, SUZUNA ODER?

3. KAPITEL

YEAAH!

HALLO, PUDEL!

HALLO, KLEINE!

BLINK

554

ICH KAPIER ES EINFACH NICHT.

DA FRAGE ICH MICH...

... WAS HINAKO SO ANZIEHEND AN UOZUMI FAND.

WOMEN

MEIN ERSTER TAG AUF DEM PLATZ! ENDLICH! ☆

EIN NEUER SCHLÄGER. ♡

BLINK

NEUE TENNIS-SCHUHE.

BLINK

ICH GEH SCHON MAL RAUS AUF DEN PLATZ, SUZUNA!

HMM, DIE SACHEN STEHEN MIR ZIEMLICH GUT... ♡

DREAM

"DU BIST SO TOLL, FUKAMI!" ♡

"NIMM MICH MIT, FUKAMI!" ♡

HI HI

BU BU BU

DA HAT EICHI MAL WIE-DER WAS FALSCHES GESAGT.

DIE-SER...

AH!!

SMACK SMACK

SMACK

GUT, DASS FUKAMI BEI UNS SPIELT!

MIST!

THUD

SPIEL, SATZ UND SIEG FÜR FUKAMI!

HI HI...

WAAH!!

SMILE
に

GANZ
SCHÖN
HELL!

DER
ZERLUMPTE
PLÜSCH-
HASE...

PUH,
ENDLICH
HAB ICH
MICH BE-
RUHIGT.

ホ
y

ER HAT MICH STÄNDIG ZUM WEINEN GEBRACHT.

... GAB ES EINEN JUNGEN, DER DIE SCHWÄCHEREN IMMER SCHIKANIERT HAT.

SAG MAL, MIT DIESEM HASEN HAT ES DOCH WAS BESONDERS AUF SICH, ODER?

DAMALS IM KINDERGARTEN...

...

LINKS!

D-DAS IST MEIN LÖFFEL!!

HALLO!

DEN SCHENK ICH DIR!

DER HILFT DIR, STÄRKER ZU WERDEN!

DING

SEITDEM...

... IST DER HASE EINE ART TALISMAN FÜR MICH.

EINES TAGES ZOG ER MIT SEINER FAMILIE UM.

ABER SHU...

SHAME
てれっ

NIBBLE NIBBLE NIBBLE

ポリ ポリ ポリ ポリ

HMM.

HÖRST DU ÜBER-HAUPT ZU?!

HAT SICH SELBST BEDIENT

DAS GEWITTER IST AUCH VORÜBER!

ICH DENKE, ICH GEH DANN MAL!

FLASH

AH, DER STROM!

ICH FINDE ES GUT!

DER HASE PASST IRGEND-WIE ZU DIR!

D-DANKE AUCH!

BYE-BYE!

PUDELCHEN!

ER IST DOCH EIN GUTER KERL!

AM TAG DES FLOH-MARKTES

HALLO, LEUTE!

ÄH, ICH STELLE MEINEN KÖRPER ZU VERFÜGUNG, SERIZAWA!

OH ...

ICH BIN AUCH ZU ALLEM BEREIT!

SIND GERADE UMGEZOGEN UND HABEN DESHALB NICHTS ZUM MITBRINGEN.

DESHALB MUSS ER DOCH NICHT GLEICH!!

AUS DEM FUNDUS DES THEATERKLUBS

PM 12:00 OPEN

FLOHMARKT

MUSSTE DAS DENN SEIN?!

BESTEN DANK!

DU BIST SÜSS! ♥

HI-HI!

DER FLOHMARKT...

... WAR EIN GROSSER ERFOLG.

* CA. 750 EURO

DING

VIELEN DANK!! ICH LADE EUCH DEMNÄCHST EIN!!

... SAGE UND SCHREIBE 100600* YEN!!
☆

EIN VERKAUFS-ERLÖS VON...

YEAAAH!!

IN ZWEI STUNDEN AUSVER-KAUFT!

4. KAPITEL

ABER DU HATTEST ES VOR!!

NEIN, NOCH NICHT!!

DU HAST IHN GE-KÜSST.

. . . .

. . . .

ÄH . . .

SCRATCH

EICHI IN KLASSE 7 →

IN DER MITTEL-SCHULE KAMEN WIR IN DIE GLEICHE KLASSE.

WIR WAREN UNS AUF ANHIEB SYMPA-THISCH UND WURDEN DICKE FREUNDE.

TJA, WANN FING DAS GANZE EI-GENTLICH AN?

WEISS NICHT...

SEIT WANN MAGST DU IHN DENN?

DU BIST JA WINZIG!

DU BIST JA RIE-SIG!

1. TREFFEN

WIR WAREN EINFACH AUF DER GLEICHEN WELLENLÄNGE, WIE MAN SO SAGT.

MIT FLIKAMI HATTE ICH IMMER JEDE MENGE SPASS.

BONK BONK

がすがす

SCHON GUT. ICH KANN JA LAUFEN.

ALLES KLAR, EICHI?

AUAAH!!

ER IST UMGEKNICKT!

ALLES OKAY?

BEIM SPORTFEST KNICKTE ICH GANZ FURCHTBAR MIT DEM FUSS UM.

PAIN

GRAB

IN DER 10. KLASSE HATTE FUKAMI SEINE ERSTE FREUNDIN.

WRETCHED

NACH EINEM MONAT BEKAM FUKAMI DEN LAUFPASS.

FÜHLST DICH BESTIMMT EINSAM!

EICHI, DU ÄRMSTER!

POFF POFF

WO IST ER?!

WO IST MEIN SCHATZ?!

GRRRRRRR

WIE? DU HAST DICH VON FUKAMI GETRENNT?

JA.

SAG MAL, SPINNST DU?!

KIA
HA
HA
HA
!!

TJA, DAS
GESCHIEHT
DIR RECHT!!

WAS IST
DAS?!

BDUM
BDUM

MEIN
HERZ
RAST
!!

PRESS

BDUM

BDUM
BDUM

WAS
IST MIT
MIR
LOS?!

AN SEINER
STELLE WÜRDE
ICH WOHL
AUCH DIE
FLUCHT ER-
GREIFEN!

VOR DEN
MÄNNERN...

... WÄRE
DAS EIN
ZIEMLI-
CHER
SCHOCK
FÜR IHN.

FALLS
FUKAMI
ERFÄHRT,
WAS ICH
FÜHLE...

...

AUSSER
KON-
TROL-
LE?

NA JA,
ICH DACHTE,
DAS MIT DER
PUBERTÄT
WÄRE BEI
MIR ETWAS
AUSSER
KONTROLLE
GERATEN.

SO EIN LANGWEILER!

KEINE CHANCE! DAS GANZE LAND WIRD UNTERWEGS SEIN! AN ERHOLUNG IST DA NICHT ZU DENKEN!

NICHT WAHR?

LASST UNS WAS UNTERNEHMEN!

BITTE!

VERGEUDEN WIR DIE ZEIT NICHT UNNÜTZ!

WIR SOLLTEN SIE NUTZEN UND ETWAS SPASS HABEN!

*TRADITIONELLES JAPAN. GASTHAUS

DA GIBT ES BERGE, FLÜSSE, NATUR...

ES IST SCHÖN DORT!

DIE VERWANDTSCHAFT MEINER MUTTER BETREIBT EIN RYOKAN* AUF DEM LAND!

DU WIRKST SO ENTSCHLOSSEN.

ÄH, HAST DU DENN SCHON EIN BESTIMMTES ZIEL IM VISIER, HINAKO?

RYOKAN HINASE

DAS IST JA RIESIG!!

EIN RICHTIGER PALAST!

WIE AUS DEM GESICHT GESCHNITTEN!

HÜBSCH... SCHÖN...

WILLKOMMEN!

HALLO, HINAKO!

TANTE!!

SEID BLOSS RUHIG!

... AUS GUTEM HAUSE!

EIN FRÄULEIN...

AUF DEM LAND SIND SO GROSSE HÄUSER NORMAL!!

STARK!

*NATURBECKEN MIT HEISSEM QUELLWASSER UNTER FREIEM HIMMEL

YIIK!

DA MÜSSEN WIR REIN, EICHI!!

WIR HABEN SOGAR EIN ROTEN-BURO*!

SMILE

M-MIR ...

LASS UNS AUCH REINGEHN, SUZUNA!

ABER WIE EIN VER-RÜCKTER KNABBER-KRAM FUTTERN!!

... IST SCHLECHT VOM AUTO-FAHREN!

BING!

BONK

HÄ?!

UWAAAH!!

UWAAH!

5. KAPITEL

WAAH!

NANU, KLEINKINDER?

ALLES VOLLER KLEINKINDER!!

DER GANZE CAMPUS!

NA JA, DAS UNI-GELÄNDE IST GROSS UND VIEL GRÜN GIBT'S HIER AUCH.

AUSFLUG?!

DAS IST EINE KINDERGARTEN-GRUPPE! DIE MACHEN EINEN AUSFLUG!

AH, DA KOMMT EINER!

TAP TAP TAP TAP

MUNCH
MUNCH
MUNCH
ガッ ガッ ガッ

KLASSE!!

LUXUS

HE
HE
HE!

けっ
けっ

SEI MAL NICHT SO GEIZIG!

HE, DAS WAR DAS ALLERLETZTE STÜCK!!

ぱ!!
CHOMP

SWEET HEART! ♥

BESONDERS DAS HÜHNCHEN-UMANI...

SIEHT AUS WIE EIN INDI-REKTER KUSS...。

うーん
HMMM

EIFER-SUCHT.

πιό~

Θεσσα

Πρέπε

" BEDEUTET SOVIEL WIE "NOCH MEHR ALS" UND ZEIGT EINEN VERGLEICH AN.

UNTERRICHTSRAUM 1

UNTERRICHTSRAUM 2

ICH BIN SO MÜDE.

πιο か ポ か WARM

ALLE SIND HIN UND WEGGE-RISSEN.

AUSSERDEM SIND ALLES NUR FRAU-EN.

HERR HOKARI!

... NUR WEIL ICH MIT HINAKO ZUSAMMEN SEIN WOLL-TE.

VIELLEICHT WAR ES DOCH ETWAS VOR-EILIG, GRIE-CHISCH ZU WÄHLEN...

うっら うっら

IST AUCH KAUM JE-MAND IM KURS AUS-SER UNS.

GLÜCK GEHABT! NICHT VIEL LOS! ♡

EIN FOTOGRAF, DER NUR DIE INSELN DER AGÄIS BEREIST HAT!

HEUTE IST DER LETZTE TAG!

DIE FOTO AUSSTEL- LUNG!

FOTOGRAFIEN VON MASABU KOIKE /

GRIECHENLAND - PARADIES DES LICHTS

AH!

HI! HI!

DIE SEHN AUS WIE SEEHUN- DE!

SÜSS!

LÖWENFIGUREN AUF DER INSEL DELOS

HERR HOKARI ?!

GUTEN TAG, HERR LEHRER!

ICH BESUCHE EINE IHRER VERANSTALTUNGEN AN DER UNIVERSITÄT.

ERKENNEN SIE MICH WIEDER? ♥

HINAKO KAJI!

ÄH, DU BIST ...

OBWOHL GRIECHENLAND ÜBER 2000 JAHRE UNTER FREMDHERRSCHAFT UND KRIEG LEIDEN MUSSTE...

... HAT ES SEINE EIGENE SPRACHE NIEMALS AUFGEGEBEN.

STARK ...

DIESES TIEFE BLAU!

DAS MEER IST WUNDERSCHÖN.

ZWEI ARME ZUSAMMEN.

DU WILLST VOR DEM ABENDESSEN NACH HAUSE GEHEN, SU-ZUNA?

HÄÄÄ?!

DANN BIN ICH AUF DIÄT !!!

SIE IST SO LIEB!

NA JA..

LIEGT'S AM GELD? DANN LADE ICH DICH EIN.

ETWAS INTERESSANTES?

ANXIOUS

HI HI HI

ACH ÜBRIGENS, ICH HAB DA WAS INTERESSANTES MITGEBRACHT!

VERZEIH MIR HINAKO, ABER...

UOZUMI ISST JA AUCH IMMER AUSWÄRTS.

ACH JA...

EINFACHER FEUERTOPF

EIN GESUNDER FEUERTOPF MIT VIEL GEMÜSE!

DING DONG

ピンポォン

KCHAK.

GRÜSS DICH!

WAS GIBT'S?

OH, ICH STÖRE?

ICH GEHE SCHON!

ICH GEHE JA!!

VENUS IN LOVE (1) - ENDE

← EICHI MIT OHRSTECKER...

SUZUNA STUFE 2, ZIEMLICH KINDLICH ⟩

ETWA SCHULTER-LANGE HAARE →

BONUS-SEITE
VENUS

AUS FRÜHEN ENTWÜRFEN, HO HO

FUKAMI HAT SICH
← WOHL NICHT SEHR
VERÄNDERT

FUKAMI

↙ SUZUNA STUFE 1, RELATIV ER-WACHSEN

SUZUNA

Preview auf die nächste Nummer

Yuki Nakaji
Venus in Love 2
PLANET manga

Mit ihrem Nachbarn **Eichi**, ihrer Freundin **Hinako** und dem angebeteten **Fukami** verbringt **Suzuna** fröhliche und unbeschwerte Tage. Aber Suzunas behutsame Annäherung an Fukami wird nicht nur durch den unberechenbaren Nebenbuhler Eichi, sondern auch durch eine Person aus Fukamis Vergangenheit erschwert...

Ab Januar

Die Sensationen im Dezember!

MERUPURI - DER MÄRCHENPRINZ 2
196 S. - sw - € 6,50

20TH CENTURY BOYS 13
228 S. - SC mit SU, sw- € 7,95

PASTEL 5
196 S. - sw - € 6,50

PRINZESSIN KAGUYA 11
204 S. - sw - € 6,00

JUNE THE LITTLE QUEEN 4
180 S. - sw - € 6,00

SHI HWA MONG 5
172 S. - sw/farb - € 6,50

TENJO TENGE 13
208 S. - sw - € 7,95

KING OF BANDIT JING: BOTTLE 7
176 S. - sw - € 6,95

REBIRTH 15
188 S. - sw - € 7,95

DER HIT DES MONATS
Akira

Ein Film, der Geschichte geschrieben hat! Akira von **Katsuhiro Otomo** ist einer der ersten Mangas gewesen, der im Westen wegen seiner hervorragenden Qualität große Beachtung fand. Der Comic bildete die Vorlage zu einem Film, für den ein astronomisches Budget zur Verfügung stand. Die Handlung spielt in einem Tokio der Zukunft, wo eine Gruppe von Jugendlichen ein Kind findet, welches übernatürliche Kräfte besitzt. Das Kind wurde aber als Versuchskaninchen mißbraucht, um das menschliche Potenzial voll auszuschöpfen. Im Fall von **Akira** übertrieben es jedoch die Wissenschaftler, weil er für die Zerstörung des alten Tokio und den Beginn des dritten Weltkriegs verantwortlich gemacht wird. Jetzt wurden diese Experimente wieder aufgenommen und Akira auf sein Erwachen vorbereitet. Wird es **Kaneda** und seinen Freunden gelingen, eine ähnliche Kreatur zu stoppen, und wer kontrolliert diese überhaupt? 120 Minuten feinste Science-fiction, digitally remastered und in den Tonspuren DTS und 5.1. zu genießen. Zusätzlich gibt's noch ein dreißigminütiges Making of!

Akira © 1987 AKIRA COMMITTEE

CHECKLIST

NOVEMBER

● **PLANET VIDEO**

AKIRA

BURST ANGEL 5

SAMURAI CHAMPLOO 3

GUNGRAVE 2

SAMURAI 7 1

DEZEMBER

● **PLANET VIDEO**

YUKIKAZE 3

SAMURAI CHAMPLOO 4

GUNGRAVE 3

GHOST IN THE SHELL:

STAND ALONE COMPLEX 1

SAMURAI 7 2

BURST ANGEL 6

Und noch eine neue, unglaubliche Lizenz: **FULL METAL ALCHEMIST**! Ganz Japan und Amerika sind verrückt danach! Eine Wahnsinns-Fantasy/Science-fiction!

😊 FRAGEN & ANTWORTEN

✉ Habt Ihr in Eurem Programm die DVD des dritten *Patlabor*-Films?

▶ **Zur Zeit nicht, aber wir werden es für die Zukunft im Hinterkopf behalten.**

✉ Wißt Ihr etwas über den Cast der Synchronsprecher bei GHOST IN THE SHELL?

▶ **Um die Unterschiede zwischen Film und Serie möglichst gering zu halten, haben die Charaktere der Serie dieselben Stimmen wie die im Film!**

ULTIMATE EDITION
GHOST IN THE SHELL
MIT DEN SPRECHERN VON "STARGATE"!
MIT EXKLUSIVEM MAKING OF!

⭐ BIG IN JAPAN

· Die **EVANGELION**-Fans können sich über ein neues Gadget freuen. Kenwood hat einen Mp3-Player auf den Markt gebracht, dessen Design demjenigen aus der Serie nachempfunden ist. Er ist in zwei Farben erhältlich, in **Rei-weiß** oder in **Asuka-rot**, mit 20 GB Speicherplatz. Als Bonus gibt es viele Bilder aus der Serie, die als Screensaver das große Display verschönern können.

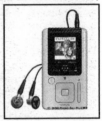

· Wenn Ihr Euch die Wartezeit auf **GHOST IN THE SHELL – STAND ALONE COMPLEX** etwas versüßen wollt, dann greift zu den offiziellen Gadgets der Serie. Auf der Website http://www.bandai.co.jp/fashion/tuhan/kidou/index.html findet Ihr Uhren, T-Shirts, Kravatten und sogar eine Jacke mit dem Logo dieser fantastischen Serie. Auf keinen Fall verpassen!

💣 TOPAKTUELL

· In der letzten Folge von BURST ANGEL bekommen es unsere Girlies mit der mysteriösen Organisation *Zero* zu tun, die durch ein Komplott Tokio in ihre Gewalt gebracht hat und jetzt zu einem schrecklichen Vernichtungsschlag ausholt.

· Verpaßt ja nicht den 13. Band von TENJO TENGE mit all den Powergirls sowie den 7. von KING OF BANDIT JING, unserem unwiderstehlichen Meisterdieb! Beide Bände wurden zwar auf den Dezember verschoben, aber das Warten wird sich für Euch lohnen!

Aufgepaßt! Die kompletten Digipack – Serien von **LAST EXILE**, **RAHXEPHON** und **TRIGUN** gibt es jetzt in schönen **Sammelschubern**. Sondereditionen für Super-Serien!

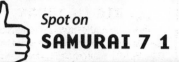

👍 *Spot on*
SAMURAI 7 1

TITEL	
SAMURAI 7	
PRODUKTION	
Gonzo/Mico	
EPISODEN	
26	
AUDIO	
Deutsch DTS & 5.1, Japanisch 2.0	
REIHE	
Panini Video	
EVT	
November 2005	

SAMURAI 7 ist eine neue Serie aus dem Studio **GONZO** (**LAST EXILE**, **BURST ANGEL**), die auf dem Meisterwerk *Die sieben Samurai* von **Akira Kurosawa** basiert. Die Geschichte folgt zwar dem Original, vertieft sie jedoch, indem sie ihr neue Abenteuer hinzufügt und sie in einer dem mittelalterlichen Japan stark ähnelnden Alternativ-Welt ansiedelt. Dort haben einige Samurai ihr menschliches Dasein zugunsten einer Cyborg-Existenz aufgegeben, um die härtesten Schlachten bestehen zu können. Nun, da alle Kriege beendet sind, streifen die adeligen Krieger als Plünderer durch die Lande, und ein Bürgermeister, dessen Dorf von ihnen heimgesucht wurde, heuert einige Samurai an, um dieser Bedrohung ein Ende zu setzen. Die ehrwürdige **Kirara** macht sich zusammen mit ihrer kleinen Schwester **Komachi** und **Rikichi** auf den Weg nach Gogakyo, wo sie sich mit einigen Problemen konfrontiert sehen…

DER AUTOR

Akira Kurosawa,
weltberühmter Drebuchautor und Filmregisseur, wurde am 23. März 1910 geboren. Von seinen etwa 30 Filmen spielen einige der bekanntesten im Mittelalter (13.-17.Jhd.). *Rashomon* (1950), *Die sieben Samurai* (1954) und *Yojimbo* (1961) sind absolute Klassiker! Kurosawa schrieb und führte Regie bis zu seinem Tod am 6. September 1998.

Außerdem hat sich PANINI die Lizenz für die Sticker-Alben, Sammelkarten WAPS und Staks von NARUTO gesichert.

LIEBE MANGA FANS...

Fast zehn Jahre nach dem Erscheinen des ersten Anime und etwa zeitgleich mit der Veröffentlichung des zweiten erreicht uns endlich die Anime-Serie **GHOST IN THE SHELL**. Basierend auf den Charakter-Entwürfen des großen Mangaka **Masamume Shirow** wurde **GHOST IN THE SHELL – STAND ALONE COMPLEX** von **Bandai** in Zusammenarbeit mit der **Production I.G** (die Firma hat sich um beide Filme gekümmert) hergestellt. Die 52 Episoden, die unter Zuhilfenahme der modernsten Animationstechniken realisiert wurden, spielen in einer futuristischen **Cyberpunk**-Welt, in der die sogenannte **Sektion 9** operiert, eine Antiterror-Einheit der Regierung unter der Leitung eines speziellen Kampf-Cyborgs, Major **Motoko Kusanagi**. Es handelt sich wirklich um eine spektakuläre Serie, die die Grenzen des im Film und im Manga dargestellten Universums dank ihrer großartigen und äußerst sorgfältigen Animation bei weitem überschreitet (das Produktions-Budget war das höchste, was jemals für einen Anime zur Verfügung stand).
Ab Dezember auf **MTV** und auf **DVD** bei **PANINI VIDEO!**

Story und Zeichnungen
YUKI NAKAJI

Übersetzung
JOHN S.

Lettering
LARA IACUCCI

Redaktion
MATTHIAS KORN
PIA ODDO
LISA P.

Chefredakteur
TONY V.

VENUS IN LOVE erscheint zweimonatlich bei **PLANET MANGA**, Ravensstraße 48, D-41334 Nettetal-Kaldenkirchen. VENUS IN LOVE wird unter Lizenz in Deutschland von PANINI Verlags-GmbH veröffentlicht. Druck: Lito 3 Arti Grafiche S. r. l., Pressevertrieb für Deutschland, Österreich und Schweiz: Stella Distribution GmbH, D-20097 Hamburg. Direktvertrieb für Deutschland: Panini Verlags-GmbH, Rotebühlstr. 87, D-70178 Stuttgart - Auslieferung über Rübartsch & Reiners GmbH & Co. OHG, D-41199 Mönchengladbach. Auslieferung für den Buchhandel: VVA - Vereinigte Verlagsauslieferung, D-33415 Verl. Direkt-Abos auf **www.paninicomics.de** Geschäftsführer **Frank Zomerdijk**, Publishing Director Europe **Marco M. Lupoi**, Chefredakteur **Tony Verdini**, Übersetzer **John S.**, Redaktion **Matthias Korn**, **Pia Oddo**, **Lisa Pancaldi**, Finanzen & Beratung **Axel Drews**, Marketing/Auflagenkoordination **Wolfgang Schäfer**, Marketing Assistent **Thorsten Heitholt**, Vertrieb **Alexander Bubenheimer**, Logistik **Ilja Jennes**, Lektor **Michael Jurkat**, graphische Gestaltung **Rudy Remitti**, **Nicola Spano**, Art Director **Mario Corticelli**, Redaktion Panini Comics **Beatrice Doti**, **Elisa Panzani**, Produktion Manga-Abteilung **Silvia Callea**, **Simone Guidetti**, **Ambra Lambertini**, **Ivano Martin**, **Fabio Melatti**, Produktionsleitung **Alessandro Nalli**. Copyright: VENUS WA KATAOMOI Volume 1 by Yuki Nakaji © 1999, 2005 by NY STUDIO, Inc. All rights reserved. First published in Japan in 1999 by HAKUSENSHA, INC, Tokyo. German language translation rights in Germany, Austria and German speaking part of Switzerland and Luxemburg arranged with HAKUSENSHA, INC, Tokyo through Tuttle-Mori Agency Inc., Tokyo. Zur deutschen Ausgabe: © 2005 PANINI Verlags-GmbH.
ISBN 3-86607-070-5

ACHTUNG!

Dieser Comic wird wie im Original gelesen:

von rechts nach links,

also fangt einfach von der anderen Seite des Buches an und stürzt Euch in die Welt von

Venus in Love